ISBN : 978-2-211-08890-9

© 1984, l'école des loisirs, Paris
Loi numéro 49 956 du 16 juillet 1949 sur les publications
destinées à la jeunesse : mai 1984
Dépôt légal : juin 2008
Imprimé en France par Mame Imprimeur à Tours

Yvan Pommaux

Corbelle et Corbillo dans:

LA MARQUE BLEUE

Couleurs : Nicole Pommaux

Bande dessinée
l'école des loisirs
11, rue de Sèvres, Paris 6ᵉ

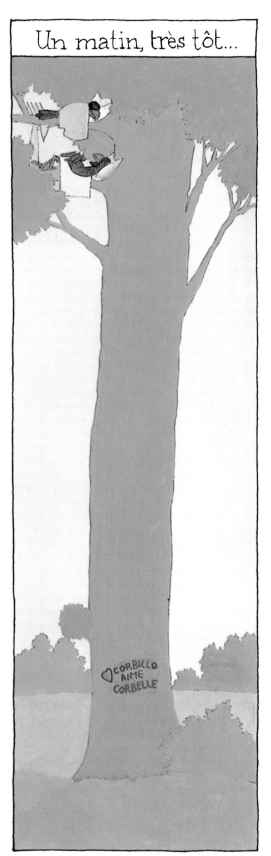

Plus tard...

tut-tut-tut-

Corbelle, le chocolat est prêt !

Les corbeaux sont cocasses, quoi qu'ils fassent, qu'ils mangent des glaces à l'ananas ou jouent d'la contrebasse

On ira sur un chêne : les feuilles y sont luisantes et dentelées ... ou bien on ira sur un aulne, ce sera plus distingué !

Corbelle ...

Je ne comprends plus, tout à l'heure, tu disais que pour rien au monde tu ne voudrais quitter notre arbre !?

J'ai changé d'avis ! Aujourd'hui nous n'irons pas travailler, nous allons déménager...

Aide-moi !

Mais ...

On prenait trop de petites habitudes, ici, Corbillo... le train-train quotidien, ça ne vaut rien pour l'amour !

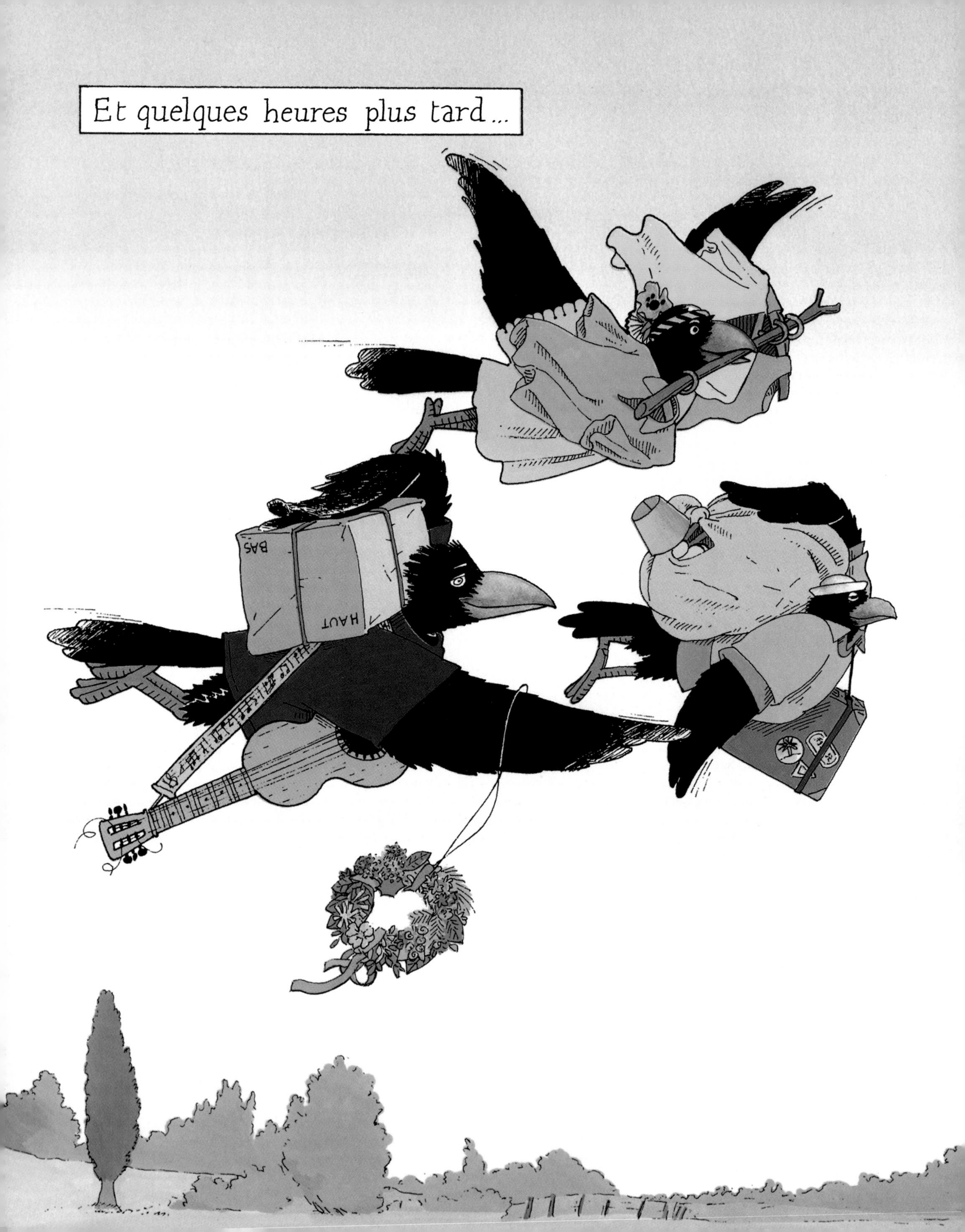
Et quelques heures plus tard...
BAS
HAUT

Corbelle, je trouve que tu as été un peu cruelle avec Corbek !

Veux-tu que je retourne le consoler ?

Non !

Après tout, il l'a bien mérité... Il n'avait qu'à nous prêter un coin de branche sans faire d'histoire !

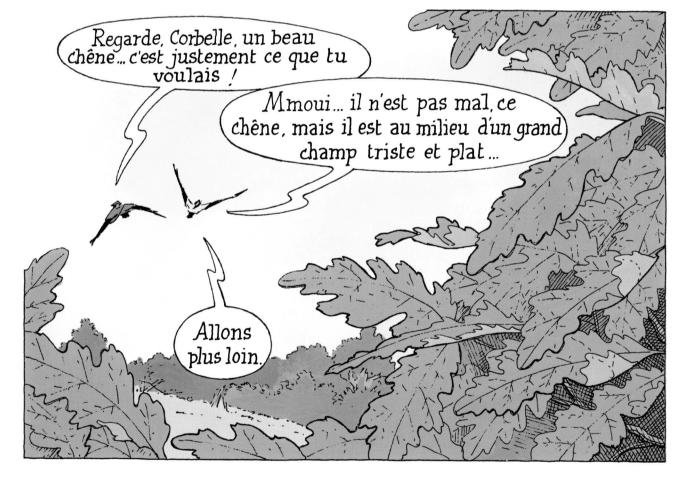

Regarde, Corbelle, un beau chêne... c'est justement ce que tu voulais !

Mmoui... il n'est pas mal, ce chêne, mais il est au milieu d'un grand champ triste et plat...

Allons plus loin.

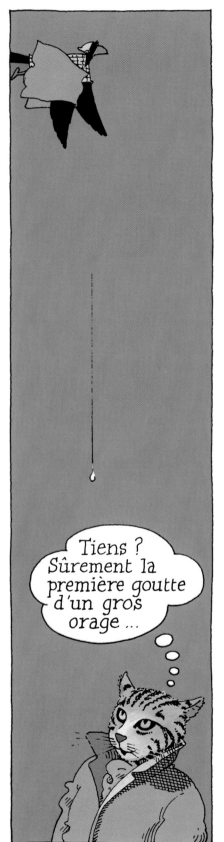

Comme je suis méchante... Corbillo n'est pas sinistre du tout, et s'il se repose à 8 heures du soir, quoi de plus normal? Il est groseilleur-fraiseur chez Corbac et Corbon, l'usine à confiture... C'est un métier très dur !

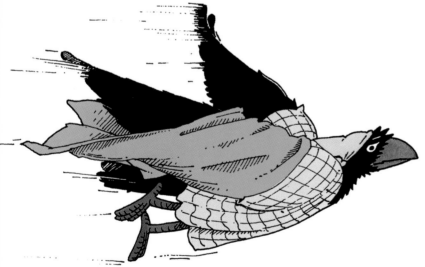

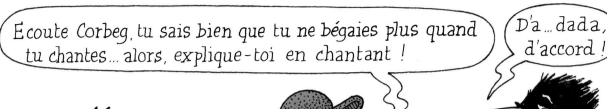

Ecoute Corbeg, tu sais bien que tu ne bégaies plus quand tu chantes... alors, explique-toi en chantant !

D'a...dada, d'accord !

Comment nos affaires sont-elles arrivées là ?

Mais c'est pas compliqué, pas compliqué du tout ; Corbek fou de colère voulait tout fiche en l'air, alors on a dit bon, y a pas deux solutions, on a fendu l'espace, et tout remis en place !

Et la marque bleue ; comment a-t-elle disparu ?

Mais c'est pas compliqué, pas compliqué du tout : "En vertu d'la loi "J", les arbres trop jolis ne seront pas coupés !" dit un jeun' diplomé, et la marque il gomma, grâce au dissolvant "A" !